T3-BRK-278

चिरंजीव श्वेता की

चौथी वर्षगांठ अथवा पाँचवें जन्म-दिन पर

श्वेता बच्चन, नीलिमा बच्चन

अभिषेक बच्चन, नम्रता बच्चन

नयना बच्चन और पिंकी-आशु को

दादा जी के, आशीष-प्यार के साथ

—हरिवंशराय बच्चन

मूल्य : ₹ **60.00**	Price : ₹ **60.00**
ISBN : 978-93-5064-137-8	ISBN : 978-93-5064-137-8
संस्करण : 2013	Edition : 2013
जन्मदिन की भेंट (कविताएं)	JANMDIN KI BHENT (Poems)
© : हरिवंशराय बच्चन	© : Harivanshrai Bachchan
चित्रण : अनवर हुसैन	Illustration : Anwar Hussain

राजपाल एण्ड सन्ज़   Rajpal & Sons

1590, मदरसा रोड, कश्मीरी गेट	1590, Madarsa Road, Kashmere Gate
दिल्ली-110006	Delhi-110006
ईमेल: sales@rajpalpublishing.com	email: sales@rajpalpublishing.com
www.rajpalpublishing.com	www.rajpalpublishing.com

काठ का घोड़ा

काठ का घोड़ा, काठ की ज़ीन,
उस पर बैठे लंगड़ दीन।
कोड़ा खूब चलाते हैं, रह-रह एड़ लगाते हैं।
कहीं न जाते-आते हैं, झूम-झूम रह जाते हैं।

नया सवेरा

मुर्गा कहता कुक-डूँ-कूँ-
अभी-अभी मैं जागा हूँ
जागो, तुम्हें जगाता हूँ
मुर्गा कहता कुक-डूँ-कूँ-

रात गुज़रने वाली है,
कम होती अँधियाली है,
सूरज आने वाला है,
जो करता उजियाला है।

चिड़ियाँ गाने वाली हैं,
जो सुन्दर पर वाली हैं,
फूल बिहँसने वाले हैं,
जिनके रंग निराले हैं।

चिड़िया का घर

चिड़िया, ओ चिड़िया,
कहाँ है तेरा घर ?–
उड़-उड़ आती है
जहाँ से फर-फर !
चिड़िया, ओ चिड़िया,
कहाँ है तेरा घर ?–
उड़-उड़ जाती है
जहाँ को फर-फर !

बन में खड़ा है जो
बड़ा-सा तरुबर
उसी पे बना है
खर-पातों वाला घर ।
उड़-उड़ आती हूँ
वहीं से फर-फर !
उड़-उड़ जाती हूँ
वहीं को फर-फर !

तितली रानी

बड़ी सयानी

तितली रानी

फूल-फूल पर जाती है।

फूल-फूल से

रंग चुराकर

अपने पंख सजाती है।

बड़ी सयानी

तितली रानी

मेरा मन ललचाती है।

जब मैं उसे

पकड़ने जाता

इधर-उधर उड़ जाती है।

बड़ी सयानी

तितली रानी

फूल-फूल पर जाती है।